G000293551

F·R·I·E·N·D·S
THE TELEVISION SERIES

2021

Published by Danilo Promotions Ltd. EN9 1AS, England. Printed in China.

Contact Danilo for a full listing of our complete range of Calendars, Diaries and Greeting Cards or find us at:

www.danilo.com /DaniloCalendarsUK @CalendarsUK or email us at: sales@danilo.com

FSC
www.fsc.org
MIX
Board from
responsible sources
FSC® C010609

Personal Information

Name

Address

Mobile

Email

In Case Of Emergency Please Contact

Name

Address

Mobile

Doctor

Doctor Telephone

Known Allergies

2020

January

WK	M	T	W	T	F	S	S
1		1	2	3	4	5
2	6	7	8	9	10	11	12
3	13	14	15	16	17	18	19
4	20	21	22	23	24	25	26
5	27	28	29	30	31		

February

WK	M	T	W	T	F	S	S
5						1	2
6	3	4	5	6	7	8	9
7	10	11	12	13	14	15	16
8	17	18	19	20	21	22	23
9	24	25	26	27	28	29	

March

WK	M	T	W	T	F	S	S
9							1
10	2	3	4	5	6	7	8
11	9	10	11	12	13	14	15
12	16	17	18	19	20	21	22
13	23	24	25	26	27	28	29
14	30	31					

April

WK	M	T	W	T	F	S	S
14		1	2	3	4	5
15	6	7	8	9	10	11	12
16	13	14	15	16	17	18	19
17	20	21	22	23	24	25	26
18	27	28	29	30			

May

WK	M	T	W	T	F	S	S
18					1	2	3
19	4	5	6	7	8	9	10
20	11	12	13	14	15	16	17
21	18	19	20	21	22	23	24
22	25	26	27	28	29	30	31

June

WK	M	T	W	T	F	S	S
23	1	2	3	4	5	6	7
24	8	9	10	11	12	13	14
25	15	16	17	18	19	20	21
26	22	23	24	25	26	27	28
27	29	30					

July

WK	M	T	W	T	F	S	S
27			1	2	3	4	5
28	6	7	8	9	10	11	12
29	13	14	15	16	17	18	19
30	20	21	22	23	24	25	26
31	27	28	29	30	31		

August

WK	M	T	W	T	F	S	S
31						1	2
32	3	4	5	6	7	8	9
33	10	11	12	13	14	15	16
34	17	18	19	20	21	22	23
35	24	25	26	27	28	29	30
36	31						

September

WK	M	T	W	T	F	S	S
36		1	2	3	4	5	6
37	7	8	9	10	11	12	13
38	14	15	16	17	18	19	20
39	21	22	23	24	25	26	27
40	28	29	30				

October

WK	M	T	W	T	F	S	S
40				1	2	3	4
41	5	6	7	8	9	10	11
42	12	13	14	15	16	17	18
43	19	20	21	22	23	24	25
44	26	27	28	29	30	31	

November

WK	M	T	W	T	F	S	S
44							1
45	2	3	4	5	6	7	8
46	9	10	11	12	13	14	15
47	16	17	18	19	20	21	22
48	23	24	25	26	27	28	29
49	30						

December

WK	M	T	W	T	F	S	S
49		1	2	3	4	5
50	7	8	9	10	11	12	
51	14	15	16	17	18	19	
52	21	22	23	24	25	26	
53	28	29	30	31			

January

K	M	T	W	T	F	S	S
3					1	2	3
	4	5	6	7	8	9	10
	11	12	13	14	15	16	17
	18	19	20	21	22	23	24
	25	26	27	28	29	30	31

February

WK	M	T	W	T	F	S	S
5	1	2	3	4	5	6	7
6	8	9	10	11	12	13	14
7	15	16	17	18	19	20	21
8	22	23	24	25	26	27	28

March

WK	M	T	W	T	F	S	S
9	1	2	3	4	5	6	7
10	8	9	10	11	12	13	14
11	15	16	17	18	19	20	21
12	22	23	24	25	26	27	28
13	29	30	31				

April

K	M	T	W	T	F	S	S
3				1	2	3	4
4	5	6	7	8	9	10	11
5	12	13	14	15	16	17	18
6	19	20	21	22	23	24	25
7	26	27	28	29	30		

May

WK	M	T	W	T	F	S	S
17						1	2
18	3	4	5	6	7	8	9
19	10	11	12	13	14	15	16
20	17	18	19	20	21	22	23
21	24	25	26	27	28	29	30
22	31						

June

WK	M	T	W	T	F	S	S
22		1	2	3	4	5	6
23	7	8	9	10	11	12	13
24	14	15	16	17	18	19	20
25	21	22	23	24	25	26	27
26	28	29	30				

July

K	M	T	W	T	F	S	S
6				1	2	3	4
7	5	6	7	8	9	10	11
8	12	13	14	15	16	17	18
9	19	20	21	22	23	24	25
0	26	27	28	29	30	31	

August

WK	M	T	W	T	F	S	S
30							1
31	2	3	4	5	6	7	8
32	9	10	11	12	13	14	15
33	16	17	18	19	20	21	22
34	23	24	25	26	27	28	29
35	30	31					

September

WK	M	T	W	T	F	S	S
35			1	2	3	4	5
36	6	7	8	9	10	11	12
37	13	14	15	16	17	18	19
38	20	21	22	23	24	25	26
39	27	28	29	30			

October

K	M	T	W	T	F	S	S
9					1	2	3
0	4	5	6	7	8	9	10
1	11	12	13	14	15	16	17
2	18	19	20	21	22	23	24
3	25	26	27	28	29	30	31

November

WK	M	T	W	T	F	S	S
44	1	2	3	4	5	6	7
45	8	9	10	11	12	13	14
46	15	16	17	18	19	20	21
47	22	23	24	25	26	27	28
48	29	30					

December

WK	M	T	W	T	F	S	S
48			1	2	3	4	5
49	6	7	8	9	10	11	12
50	13	14	15	16	17	18	19
51	20	21	22	23	24	25	26
52	27	28	29	30	31		

2022

January

WK	M	T	W	T	F	S	S
52						1	2
1	3	4	5	6	7	8	9
2	10	11	12	13	14	15	16
3	17	18	19	20	21	22	23
4	24	25	26	27	28	29	30
5	31						

February

WK	M	T	W	T	F	S	S
5		1	2	3	4	5	6
6	7	8	9	10	11	12	13
7	14	15	16	17	18	19	20
8	21	22	23	24	25	26	27
9	28						

March

WK	M	T	W	T	F	S	S
9		1	2	3	4	5	6
10	7	8	9	10	11	12	13
11	14	15	16	17	18	19	20
12	21	22	23	24	25	26	27
13	28	29	30	31			

April

WK	M	T	W	T	F	S	S
13					1	2	3
14	4	5	6	7	8	9	10
15	11	12	13	14	15	16	17
16	18	19	20	21	22	23	24
17	25	26	27	28	29	30	

May

WK	M	T	W	T	F	S	S
17							1
18	2	3	4	5	6	7	8
19	9	10	11	12	13	14	15
20	16	17	18	19	20	21	22
21	23	24	25	26	27	28	29
22	30	31					

June

WK	M	T	W	T	F	S	S
22			1	2	3	4	5
23	6	7	8	9	10	11	12
24	13	14	15	16	17	18	19
25	20	21	22	23	24	25	26
26	27	28	29	30			

July

WK	M	T	W	T	F	S	S
26					1	2	3
27	4	5	6	7	8	9	10
28	11	12	13	14	15	16	17
29	18	19	20	21	22	23	24
30	25	26	27	28	29	30	31

August

WK	M	T	W	T	F	S	S
31	1	2	3	4	5	6	7
32	8	9	10	11	12	13	14
33	15	16	17	18	19	20	21
34	22	23	24	25	26	27	28
35	29	30	31				

September

WK	M	T	W	T	F	S	S
35				1	2	3	4
36	5	6	7	8	9	10	11
37	12	13	14	15	16	17	18
38	19	20	21	22	23	24	25
39	26	27	28	29	30		

October

WK	M	T	W	T	F	S	S
39						1	2
40	3	4	5	6	7	8	9
41	10	11	12	13	14	15	16
42	17	18	19	20	21	22	23
43	24	25	26	27	28	29	30
44	31						

November

WK	M	T	W	T	F	S	S
44		1	2	3	4	5	6
45	7	8	9	10	11	12	13
46	14	15	16	17	18	19	20
47	21	22	23	24	25	26	27
48	28	29	30				

December

WK	M	T	W	T	F	S	S
48				1	2	3	
49	5	6	7	8	9	10	
50	12	13	14	15	16	17	
51	19	20	21	22	23	24	
52	26	27	28	29	30	31	

2021

New Year's Day	Jan 1
Chinese New Year (Ox)	Feb 12
St. Valentine's Day	Feb 14
Shrove Tuesday	Feb 16
St. David's Day (Wales)	Mar 1
World Book Day	Mar 4
Mothering Sunday	Mar 14
St. Patrick's Day	Mar 17
Passover Begins	Mar 28
Daylight Saving Time Starts	Mar 28
Good Friday (UK)	Apr 2
Easter Sunday	Apr 4
Easter Monday	Apr 5
Ramadan Starts	Apr 13
St. George's Day	Apr 23
Early May Bank Holiday	May 3
Spring Bank Holiday	May 31
Father's Day	Jun 20
Battle of the Boyne (Northern Ireland)	Jul 12
Summer Bank Holiday (Scotland)	Aug 2
Islamic New Year	Aug 10
Summer Bank Holiday (ENG, NIR, WAL)	Aug 30
Rosh Hashanah (Jewish New Year) Begins	Sep 6
Yom Kippur (Day of Atonement) Begins	Sep 15
The United Nations International Day of Peace	Sep 21
World Mental Health Day	Oct 10
Daylight Saving Time Ends	Oct 31
Halloween	Oct 31
Diwali	Nov 4
Guy Fawkes Night	Nov 5
Remembrance Sunday	Nov 14
St. Andrew's Day (Scotland)	Nov 30
Christmas Day	Dec 25
Boxing Day	Dec 26
Bank Holiday	Dec 27
Bank Holiday	Dec 28
New Year's Eve	Dec 31

Planner 2021

January	February	March
1 F	1 M	1 M
2 S	2 T	2 T
3 S	3 W	3 W
4 M	4 T	4 T
5 T	5 F	5 F
6 W	**6 S**	**6 S**
7 T	**7 S**	**7 S**
8 F	8 M	8 M
9 S	9 T	9 T
10 S	10 W	10 W
11 M	11 T	11 T
12 T	12 F	12 F
13 W	**13 S**	**13 S**
14 T	**14 S**	**14 S**
15 F	15 M	15 M
16 S	16 T	16 T
17 S	17 W	17 W
18 M	18 T	18 T
19 T	19 F	19 F
20 W	**20 S**	**20 S**
21 T	**21 S**	**21 S**
22 F	22 M	22 M
23 S	23 T	23 T
24 S	24 W	24 W
25 M	25 T	25 T
26 T	26 F	26 F
27 W	**27 S**	**27 S**
28 T	**28 S**	**28 S**
29 F		29 M
30 S		30 T
31 S		31 W

Planner 2021

April	May	June
1 T	**1 S**	1 T
2 F	**2 S**	2 W
3 S	3 M	3 T
4 S	4 T	4 F
5 M	5 W	**5 S**
6 T	6 T	**6 S**
7 W	7 F	7 M
8 T	**8 S**	8 T
9 F	**9 S**	9 W
10 S	10 M	10 T
11 S	11 T	11 F
12 M	12 W	**12 S**
13 T	13 T	**13 S**
14 W	14 F	14 M
15 T	**15 S**	15 T
16 F	**16 S**	16 W
17 S	17 M	17 T
18 S	18 T	18 F
19 M	19 W	**19 S**
20 T	20 T	**20 S**
21 W	21 F	21 M
22 T	**22 S**	22 T
23 F	**23 S**	23 W
24 S	24 M	24 T
25 S	25 T	25 F
26 M	26 W	**26 S**
27 T	27 T	**27 S**
28 W	28 F	28 M
29 T	**29 S**	29 T
30 F	**30 S**	30 W
	31 M	

Planner 2021

July	August	September
1 T	1 S	1 W
2 F	2 M	2 T
3 S	3 T	3 F
4 S	4 W	4 S
5 M	5 T	5 S
6 T	6 F	6 M
7 W	7 S	7 T
8 T	8 S	8 W
9 F	9 M	9 T
10 S	10 T	10 F
11 S	11 W	11 S
12 M	12 T	12 S
13 T	13 F	13 M
14 W	14 S	14 T
15 T	15 S	15 W
16 F	16 M	16 T
17 S	17 T	17 F
18 S	18 W	18 S
19 M	19 T	19 S
20 T	20 F	20 M
21 W	21 S	21 T
22 T	22 S	22 W
23 F	23 M	23 T
24 S	24 T	24 F
25 S	25 W	25 S
26 M	26 T	26 S
27 T	27 F	27 M
28 W	28 S	28 T
29 T	29 S	29 W
30 F	30 M	30 T
31 S	31 T	

October		November		December	
F		1	M	1	W
S		2	T	2	T
S		3	W	3	F
M		4	T	**4**	**S**
T		5	F	**5**	**S**
W		**6**	**S**	6	M
T		**7**	**S**	7	T
F		8	M	8	W
S		9	T	9	T
S		10	W	10	F
M		11	T	**11**	**S**
T		12	F	**12**	**S**
W		**13**	**S**	13	M
T		**14**	**S**	14	T
F		15	M	15	W
S		16	T	16	T
S		17	W	17	F
M		18	T	**18**	**S**
T		19	F	**19**	**S**
W		**20**	**S**	20	M
T		**21**	**S**	21	T
F		22	M	22	W
S		23	T	23	T
S		24	W	24	F
M		25	T	**25**	**S**
T		26	F	**26**	**S**
W		**27**	**S**	27	M
T		**28**	**S**	28	T
F		29	M	29	W
S		30	T	30	T
S				31	F

Things to do this month...

EXAMS + DEADLINE MONTH

January

December 2020

28 Monday

Boxing Day Bank Holiday

29 Tuesday

30 Wednesday

31 Thursday

New Year's E

January 2021

Friday **1**

Year's Day

Saturday **2**

Sunday **3**

NOTES

4 Monday

Chemistry exam 2

5 Tuesday

6 Wednesday   Zoom meeting @ 12:15 Sandra; M
essay

7 Thursday

Physiology & Anatomy MCQ + short answer

January 2021

Friday **8**

Genetics problem solving questions

Saturday **9**

Sunday **10**

NOTES

11 Monday

12 Tuesday

13 Wednesday

14 Thursday

January 2021

Friday 15

Saturday 16

ofessional skills data presentation   Sunday 17

NOTES

S S M T W T F S S **M T W T F S S** M T W T F S S M T W T F S S
2 3 4 5 6 7 8 9 10 **11 12 13 14 15 16 17** 18 19 20 21 22 23 24 25 26 27 28 29 30 31

18 Monday

19 Tuesday Metabolic biochemistry essay

20 Wednesday

21 Thursday

January 2021

Saturday 23

Sunday 24

OTES

S	S	M	T	W	T	F	S	S	M	T	W	T	F	S	S	**M**	**T**	**W**	**T**	**F**	**S**	**S**	M	T	W	T	F	S	S
2	3	4	5	6	7	8	9	10	11	12	13	14	15	16	17	**18**	**19**	**20**	**21**	**22**	**23**	**24**	25	26	27	28	29	30	31

25 Monday

---

26 Tuesday

---

27 Wednesday

---

28 Thursday

January 2021

Friday *29*

Saturday *30*

Sunday *31*

NOTES

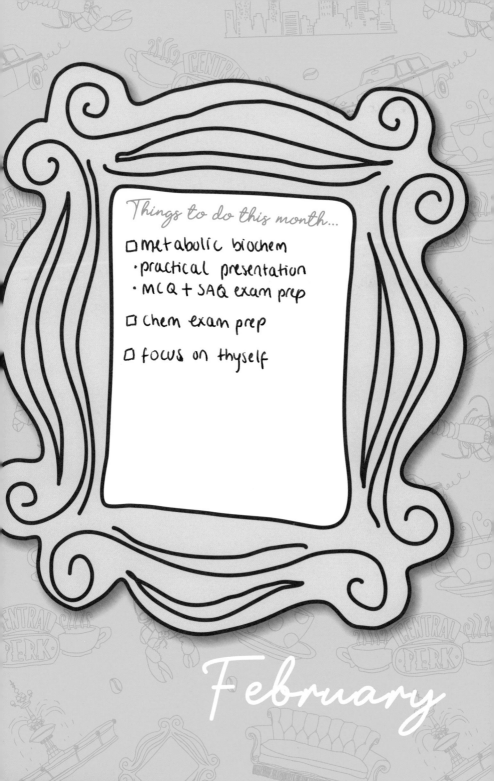

1 Monday

Clean out day

2 Tuesday

Metro bank ; online banking for customer reference
number

3 Wednesday

4 Thursday

February 2021

Friday 5

Saturday 6

Sunday 7

NOTES

M	T	W	T	F	S	S	M	T	W	T	F	S	S	M	T	W	T	F	S	S	M	T	W	T	F	S	S
	2	3	4	5	6	7	8	9	10	11	12	13	14	15	16	17	18	19	20	21	22	23	24	25	26	27	28

February 2021

8 Monday

9 Tuesday

10 Wednesday cell bio questions + lab book ☐

11 Thursday

February 2021

ese New Year (Ox)

Friday *12*

Saturday *13*

alentine's Day

Sunday *14*

OTES

T W T F S S **M T W T F S S** M T W T F S S M T W T F S S
2 3 4 5 6 7 **8 9 10 11 12 13 14** 15 16 17 18 19 20 21 22 23 24 25 26 27 28

February 2021

15 Monday

16 Tuesday

Shrove Tue

17 Wednesday

18 Thursday

February 2021

Friday **19**

Saturday **20**

Sunday **21**

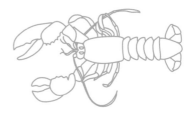

22 Monday

23 Tuesday

24 Wednesday

25 Thursday

February 2021

Friday **26**

Saturday **27**

Sunday **28**

NOTES

Things to do this month...

March

1 Monday

2 Tuesday

3 Wednesday

4 Thursday

March 2021

Friday 5

Saturday 6

Sunday 7

OTES

8   Monday

9   Tuesday

10   Wednesday

11   Thursday

March 2021

Saturday *13*

Sunday *14*

hering Sunday

OTES

T W T F S S **M T W T F S S** M T W T F S S M T W T F S S M T W
2 3 4 5 6 7 **8 9 10 11 12 13 14** 15 16 17 18 19 20 21 22 23 24 25 26 27 28 29 30 31

15 Monday

16 Tuesday

17 Wednesday

St. Patrick's D

18 Thursday

March 2021

Friday 19

Saturday 20

Sunday 21

NOTES

March 2021

WEEK

22 Monday

23 Tuesday

24 Wednesday

Metabolic practical presentation deadline

25 Thursday

March 2021

_____
_____
_____
_____
_____
_____
_____

_____
_____
_____
_____
_____
_____

sover Begins / Daylight Saving Time Starts

_____
_____
_____
_____
_____

OTES

_____
_____
_____
_____

T W T F S S M T W T F S S M T W T F S S **M T W T F S S** M T W
2 3 4 5 6 7 8 9 10 11 12 13 14 15 16 17 18 19 20 21 **22 23 24 25 26 27 28** 29 30 31

Things to do this month...

April

29 Monday

30 Tuesday

31 Wednesday

1 Thursday

April 2021

Friday **2**

d Friday (UK)

Saturday **3**

Sunday **4**

er Sunday

OTES

CENTRAL PERK

5 Monday

6 Tuesday

7 Wednesday

8 Thursday

April 2021

Friday **9**

Saturday **10**

Sunday **11**

NOTES

CENTRAL PERK

April 2021

12 Monday

13 Tuesday

Ramadan S

14 Wednesday

15 Thursday

April 2021

A

OTES

CENTRAL PERK

19 Monday

20 Tuesday

21 Wednesday

Metabolic exam MCQ & SAQ open for 24 hours.

22 Thursday

April 2021

George's Day

A

NOTES

CENTRAL PERK

Things to do this month...

May

26 Monday

27 Tuesday

28 Wednesday

29 Thursday

April / May 2021

Friday 30

Saturday 1

Sunday 2

NOTES

3 Monday

4 Tuesday

5 Wednesday

6 Thursday

May 2021

Friday 7

Saturday 8

M

Sunday 9

NOTES

10 Monday

11 Tuesday

12 Wednesday

13 Thursday

May 2021

Friday **14**

_____
_____
_____
_____
_____
_____
_____
_____
_____

Saturday **15**

_____
_____
_____
_____
_____
_____
_____
_____

Sunday **16**

_____
_____
_____
_____
_____
_____
_____

NOTES

_____
_____
_____
_____

17 Monday

18 Tuesday

19 Wednesday

20 Thursday

May 2021

Friday *21*

Saturday *22*

M

Sunday *23*

NOTES

24 Monday

_____
_____
_____
_____
_____
_____
_____

25 Tuesday

_____
_____
_____
_____
_____
_____
_____

26 Wednesday

_____
_____
_____
_____
_____
_____
_____

27 Thursday

_____
_____
_____
_____
_____
_____
_____

May 2021

Friday *28*

Saturday *29*

Sunday *30*

OTES

Things to do this month...

June

May / June 2021

31 Monday

1 Tuesday

2 Wednesday

3 Thursday

June 2021

Friday **4**

Saturday **5**

Sunday **6**

NOTES

7 Monday

_____
_____
_____
_____
_____
_____

8 Tuesday

_____
_____
_____
_____
_____
_____

9 Wednesday

_____
_____
_____
_____
_____
_____

10 Thursday

_____
_____
_____
_____
_____
_____

June 2021

Friday **11**

Saturday **12**

Sunday **13**

OTES

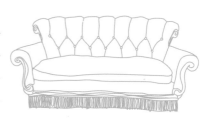

W T F S S **M T W T F S S** M T W T F S S M T W T F S S M T W
2 3 4 5 6 **7 8 9 10 11 12 13** 14 15 16 17 18 19 20 21 22 23 24 25 26 27 28 29 30

14 Monday

15 Tuesday

16 Wednesday

17 Thursday

June 2021

Friday **18**

Saturday **19**

J

Sunday **20**

iner's Day

21 Monday

22 Tuesday

23 Wednesday

24 Thursday

June 2021

Friday **25**

Saturday **26**

Sunday **27**

NOTES

Things to do this month...

July

28 Monday

29 Tuesday

30 Wednesday

1 Thursday

July 2021

Saturday 3

Sunday 4

OTES

5   Monday

6   Tuesday

7   Wednesday

8   Thursday

Friday 9

Saturday 10

Sunday 11

NOTES

12 Monday

13 Tuesday

14 Wednesday

15 Thursday

July 2021

Friday *16*

Saturday *17*

J

Sunday *18*

OTES

19 Monday

20 Tuesday

21 Wednesday

22 Thursday

July 2021

Friday 23

Saturday 24

Sunday 25

NOTES

Things to do this month...

August

July 2021

26 Monday

27 Tuesday

28 Wednesday

29 Thursday

Friday **30**

Saturday **31**

Sunday **1**   A

NOTES

August 2021

2 Monday

Summer Bank Holiday (Scotla

3 Tuesday

4 Wednesday

5 Thursday

August 2021

A

OTES

August 2021

9 Monday

_____
_____
_____
_____
_____
_____
_____

10 Tuesday

Islamic New

_____
_____
_____
_____
_____
_____
_____

11 Wednesday

_____
_____
_____
_____
_____
_____

12 Thursday

_____
_____
_____
_____
_____
_____

August 2021

_____
_____
_____
_____
_____
_____
_____
_____

Saturday *14*

_____
_____
_____
_____
_____
_____
_____
_____

Sunday *15*

A

_____
_____
_____
_____
_____
_____
_____

NOTES
_____
_____
_____

M T W T F S S **M T W T F S S** M T W T F S S M T W T F S S M T
2 3 4 5 6 7 8 **9 10 11 12 13 14 15** 16 17 18 19 20 21 22 23 24 25 26 27 28 29 30 31

16 Monday

17 Tuesday

18 Wednesday

19 Thursday

August 2021

Friday **20**

Saturday **21**

Sunday **22**

A

OTES

M T W T F S S M T W T F S S **M T W T F S S** M T W T F S S M T
2 3 4 5 6 7 8 9 10 11 12 13 14 15 **16 17 18 19 20 21 22** 23 24 25 26 27 28 29 30 31

August 2021

23 Monday

24 Tuesday

25 Wednesday

26 Thursday

August 2021

A

NOTES

M T W T F S S M T W T F S S M T W T F S S **M T W T F S S** M T
2 3 4 5 6 7 8 9 10 11 12 13 14 15 16 17 18 19 20 21 22 **23 24 25 26 27 28 29** 30 31

Things to do this month...

September

30 Monday

31 Tuesday

1 Wednesday

2 Thursday

September 2021

Friday 3

Saturday 4

Sunday 5

S

OTES

6 Monday

Rosh Hashanah (Jewish New Year) Begin

7 Tuesday

8 Wednesday

9 Thursday

September 2021

Friday 10

Saturday 11

Sunday 12

NOTES

13 Monday

14 Tuesday

15 Wednesday

Yom Kippur (Day of Atonement) Beg

16 Thursday

September 2021

Friday *17*

Saturday *18*

Sunday *19*

OTES

T F S S M T W T F S S **M T W T F S S** M T W T F S S M T W T
2 3 4 5 6 7 8 9 10 11 12 **13 14 15 16 17 18 19** 20 21 22 23 24 25 26 27 28 29 30

20 Monday

21 Tuesday

The United Nations International Day of Pe

22 Wednesday

23 Thursday

September 2021

Friday 24

Saturday 25

Sunday 26

S

NOTES

Things to do this month...

October

September 2021

WEEK

27 Monday

28 Tuesday

29 Wednesday

30 Thursday

October 2021

Friday **1**

Saturday **2**

Sunday **3**

OTES

October 2021

4 Monday

5 Tuesday

6 Wednesday

7 Thursday

October 2021

Friday *8*

Saturday *9*

rld Mental Health Day

Sunday *10*

S S **M T W T F S S** M T W T F S S M T W T F S S M T W T F S S
2 3 **4 5 6 7 8 9 10** 11 12 13 14 15 16 17 18 19 20 21 22 23 24 25 26 27 28 29 30 31

11 Monday

12 Tuesday

13 Wednesday

14 Thursday

October 2021

Friday **15**

Saturday **16**

Sunday **17**

OTES

CENTRAL PERK

S S M T W T F S S **M T W T F S S** M T W T F S S M T W T F S S
2 3 4 5 6 7 8 9 10 **11 12 13 14 15 16 17** 18 19 20 21 22 23 24 25 26 27 28 29 30 31

18 Monday

19 Tuesday

20 Wednesday

21 Thursday

October 2021

Friday 22

Saturday 23

Sunday 24

NOTES

October 2021

25 Monday

26 Tuesday

27 Wednesday

28 Thursday

October 2021

Friday **29**

Saturday **30**

ylight Saving Time Ends / Halloween

Sunday **31**

OTES

CENTRAL PERK

Things to do this month...

November

1 Monday

2 Tuesday

3 Wednesday

4 Thursday
Diw

Friday 5

Fawkes Night

Saturday 6

Sunday 7

OTES

T	W	T	F	S	S	M	T	W	T	F	S	S	M	T	W	T	F	S	S	M	T	W	T	F	S	S	M	T
2	3	4	5	6	7	8	9	10	11	12	13	14	15	16	17	18	19	20	21	22	23	24	25	26	27	28	29	30

8 Monday
_____
_____
_____
_____
_____
_____
_____

9 Tuesday
_____
_____
_____
_____
_____
_____
_____

10 Wednesday
_____
_____
_____
_____
_____
_____
_____

11 Thursday
_____
_____
_____
_____
_____
_____
_____

November 2021

Friday *12*

Saturday *13*

Sunday *14*

embrance Sunday

OTES

15 Monday

16 Tuesday

17 Wednesday

18 Thursday

Friday 19

Saturday 20

Sunday 21

NOTES

22 Monday

23 Tuesday

24 Wednesday

25 Thursday

Friday *26*

Saturday *27*

Sunday *28*

NOTES

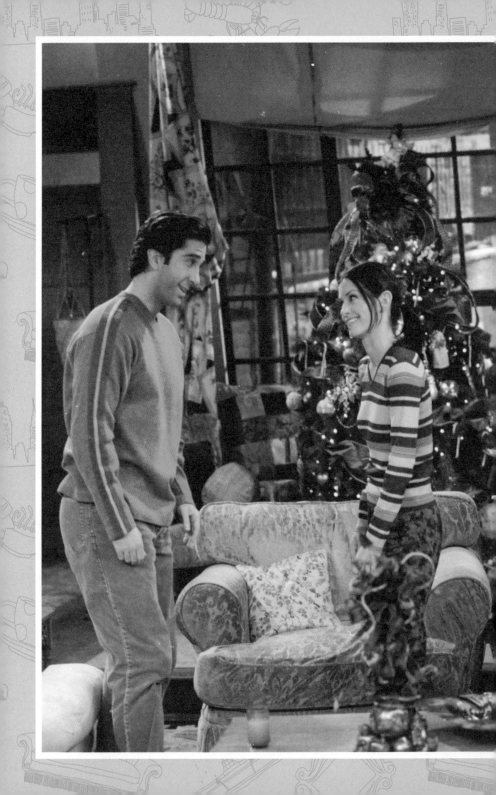

Things to do this month...

December

29 Monday

30 Tuesday

St. Andrew's Day (Scotla

1 Wednesday

2 Thursday

December 2021

_____
_____
_____
_____
_____
_____
_____
_____

Saturday 4

_____
_____
_____
_____
_____
_____
_____

Sunday 5

_____
_____
_____
_____
_____
_____
_____

OTES

_____
_____
_____

D

W	T	F	S	S	M	T	W	T	F	S	S	M	T	W	T	F	S	S	M	T	W	T	F	S	S	M	T	W
17	18	19	20	21	22	23	24	25	26	27	28	29	30	1	2	3	4	5	6	7	8	9	10	11	12	13	14	15

December 2021

6 Monday

7 Tuesday

8 Wednesday

9 Thursday

December 2021

Friday 10

Saturday 11

Sunday 12

NOTES

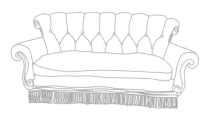

December 2021

13 Monday

14 Tuesday

15 Wednesday

16 Thursday

December 2021

Friday **17**

Saturday **18**

Sunday **19**

NOTES

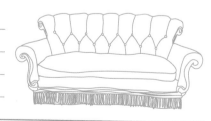

T F S S M T W T F S S **M T W T F S S** M T W T F S S M T W T F
2 3 4 5 6 7 8 9 10 11 12 **13 14 15 16 17 18 19** 20 21 22 23 24 25 26 27 28 29 30 31

December 2021

20 Monday

_____
_____
_____
_____
_____
_____

21 Tuesday

_____
_____
_____
_____
_____

22 Wednesday

_____
_____
_____
_____
_____
_____

23 Thursday

_____
_____
_____
_____
_____

December 2021

Friday **24**

istmas Day

Saturday **25**

ing Day

Sunday **26**

OTES

T	F	S	S	M	T	W	T	F	S	S	M	T	W	T	F	S	S	**M**	**T**	**W**	**T**	**F**	**S**	**S**	M	T	W	T	F
2	3	4	5	6	7	8	9	10	11	12	13	14	15	16	17	18	19	**20**	**21**	**22**	**23**	**24**	**25**	**26**	27	28	29	30	31

27 Monday

28 Tuesday

29 Wednesday

30 Thursday

December 2021/ January 2022

Friday **31**

Year's Eve

Saturday *1*

Year's Day

Sunday **2**

F	S	S	M	T	W	T	F	S	S	M	**T**	**W**	**T**	**F**	**S**	**S**	M	T	W	T	F	S	S	M	T	W	T	F	S
17	18	19	20	21	22	23	24	25	26	**27**	**28**	**29**	**30**	**31**	**1**	**2**	3	4	5	6	7	8	9	10	11	12	13	14	15

Planner 2022

January	February	March
1 S	1 T	1 T
2 S	2 W	2 W
3 M	3 T	3 T
4 T	4 F	4 F
5 W	**5 S**	**5 S**
6 T	**6 S**	**6 S**
7 F	7 M	7 M
8 S	8 T	8 T
9 S	9 W	9 W
10 M	10 T	10 T
11 T	11 F	11 F
12 W	**12 S**	**12 S**
13 T	**13 S**	**13 S**
14 F	14 M	14 M
15 S	15 T	15 T
16 S	16 W	16 W
17 M	17 T	17 T
18 T	18 F	18 F
19 W	**19 S**	**19 S**
20 T	**20 S**	**20 S**
21 F	21 M	21 M
22 S	22 T	22 T
23 S	23 W	23 W
24 M	24 T	24 T
25 T	25 F	25 F
26 W	**26 S**	**26 S**
27 T	**27 S**	**27 S**
28 F	28 M	28 M
29 S		29 T
30 S		30 W
31 M		31 T

April	May	June
1 F	**1 S**	1 W
2 S	2 M	2 T
3 S	3 T	3 F
4 M	4 W	**4 S**
5 T	5 T	**5 S**
6 W	6 F	6 M
7 T	**7 S**	7 T
8 F	**8 S**	8 W
9 S	9 M	9 T
10 S	10 T	10 F
11 M	11 W	**11 S**
12 T	12 T	**12 S**
13 W	13 F	13 M
14 T	**14 S**	14 T
15 F	**15 S**	15 W
16 S	16 M	16 T
17 S	17 T	17 F
18 M	18 W	**18 S**
19 T	19 T	**19 S**
20 W	20 F	20 M
21 T	**21 S**	21 T
22 F	**22 S**	22 W
23 S	23 M	23 T
24 S	24 T	24 F
25 M	25 W	**25 S**
26 T	26 T	**26 S**
27 W	27 F	27 M
28 T	**28 S**	28 T
29 F	**29 S**	29 W
30 S	30 M	30 T
	31 T	

Planner 2022

July	August	September
1 F	1 M	1 T
2 S	2 T	2 F
3 S	3 W	**3 S**
4 M	4 T	**4 S**
5 T	5 F	5 M
6 W	**6 S**	6 T
7 T	**7 S**	7 W
8 F	8 M	8 T
9 S	9 T	9 F
10 S	10 W	**10 S**
11 M	11 T	**11 S**
12 T	12 F	12 M
13 W	**13 S**	13 T
14 T	**14 S**	14 W
15 F	15 M	15 T
16 S	16 T	16 F
17 S	17 W	**17 S**
18 M	18 T	**18 S**
19 T	19 F	19 M
20 W	**20 S**	20 T
21 T	**21 S**	21 W
22 F	22 M	22 T
23 S	23 T	23 F
24 S	24 W	**24 S**
25 M	25 T	**25 S**
26 T	26 F	26 M
27 W	**27 S**	27 T
28 T	**28 S**	28 W
29 F	29 M	29 T
30 S	30 T	30 F
31 S	31 W	

October	November	December
S	1 T	1 T
S	2 W	2 F
M	3 T	**3 S**
T	4 F	**4 S**
W	**5 S**	5 M
T	**6 S**	6 T
F	7 M	7 W
S	8 T	8 T
S	9 W	9 F
M	10 T	**10 S**
T	11 F	**11 S**
W	**12 S**	12 M
T	**13 S**	13 T
F	14 M	14 W
S	15 T	15 T
S	16 W	16 F
M	17 T	**17 S**
T	18 F	**18 S**
W	**19 S**	19 M
T	**20 S**	20 T
F	21 M	21 W
S	22 T	22 T
S	23 W	23 F
M	24 T	**24 S**
T	25 F	**25 S**
W	**26 S**	26 M
T	**27 S**	27 T
F	28 M	28 W
S	29 T	29 T
S	30 W	30 F
M		**31 S**

Address / Phone Numbers

Name

Address

Telephone   Mobile

Email

Name

Address

Telephone   Mobile

Email

Name

Address

Telephone   Mobile

Email

Name

Address

Telephone   Mobile

Email

Name

Address

Telephone   Mobile

Email

Name

Address

Telephone   Mobile

Email

Address /Phone Numbers

me

dress

ephone   Mobile

ail

me

dress

ephone   Mobile

ail

me

dress

ephone   Mobile

ail

me

dress

ephone   Mobile

ail

me

dress

ephone   Mobile

hail

ame

dress

ephone   Mobile

hail

Notes

Notes

Notes